Einfache Kunst und Handwerk

(Blockköpfe - Der Ursprung von Hoshiko)

Dieses Blockköpfe Papier -Bastelbuch für Kinder kommt mit 3 speziell ausgewählten Blockkopf-Charakteren, 4 zufälligen Charakteren und 1 Schwebeboard

PASSWORT FÜR BONUSBÜCHER FINDEN SIE AUF SEITE 16.

Um ein Exemplar dieses Buches auf höherwertigem Papier auszudrucken, besuchen Sie bitte die untenstehende Website.

https://www.pdf-bucher.com/product/45/

Das Passwort finden Sie unten auf Seite 16.

Dieses Buch steht bis August 2021 zum Download bereit.

Empfohlene Regeln

Blockköpfe ist ein einfallsreiches Spiel und deshalb können Sie, wenn Sie mit Freunden spielen, letztendlich daran arbeiten, Ihre eigenen Regeln aufzustellen. Im Idealfall werden die Regeln vor Beginn des Spiels festgelegt, um Konflikte zu vermeiden.

Empfohlene Spielregeln für Anfänger

Legen Sie die Anzahl der Figuren fest, mit denen Sie spielen. Jeder Spieler beginnt mit einer gleichen Anzahl von Figuren. Bevor das Spiel beginnt, stellen Sie Ihre Figuren auf, indem Sie Fähigkeitsverbesserer, Waffen, Anti-Gravitationstafeln usw. hinzufügen. Es können maximal 4 Erweiterungen für die einzelnen Figuren verwendet werden. Platzieren Sie die Fähigkeitsverbesserungskarten, die zu jeder Figur hinzugefügt werden, unter der jeweiligen 3D-Figur. Sobald ein Fähigkeitsverbesserer an eine Figur angehängt wurde, muss sie bis zum Ende des Spiels bei dieser Figur bleiben. Jeder Spieler mischt dann seine Karten.

Entscheiden Sie, welcher Spieler zuerst beginnt, z.B. durch Würfeln oder Werfen einer Münze. Der Gewinner des Münzwurfs (Spieler 1) schaut auf seine erste Karte und platziert den mit seiner Karte verbundenen 3D-Charakter zusammen mit seinen Fähigkeitsverstärkern in einen zentralen Bereich. Spieler 1 wählt dann eine der vier Optionen für seine 1. Charakter-Karte, Geschwindigkeit, Verteidigung, Angriff oder Fertigkeit und liest die Zahl auf seiner Karte aus. Wenn Fähigkeitsverbesserer verwendet werden, kann die Zahl auf der Fähigkeitsverbesserer-Karte zu der Figur der Charakterkarten hinzugefügt werden. Zum Beispiel, wenn die Geschwindigkeit eines Charakters 60 beträgt und er ein Schwebeboard hat, das Geschwindigkeit +10 anzeigt. Dann ergibt sich für diesen Charakter eine Summe von 70. Alle anderen Spieler platzieren dann ihre 3D-Charaktere (mit beliebigen Fähigkeitsverbesserern) als nächstes im zentralen Bereich. Der Sieger der Runde ist der Spieler mit der höchsten Punktzahl in der gewählten Option und fordert alle Charaktere in dieser Runde. Wenn es ein Unentschieden zwischen den Gegnern gibt, gehen diese in eine weitere Runde. Der Spieler, der auf der unmittelbaren linken Seite von Spieler 1 steht, wählt eine andere Option aus der Karte seiner Figur, bis es einen eventuellen Gewinner gibt.

Am Ende des Spiels nimmt jeder Spieler alle Charaktere und Fähigkeitsverbesserer zurück, mit denen er begonnen hat.

Barcode

Adrian Ruiz wuchs Anfang der 1950er Jahre im Herzen von Mexiko-Stadt bei seiner Mutter auf. Lehrer an seiner Schule berichteten, dass er ein einsamer Junge war, der keinerlei Antrieb hatte, irgendetwas zu tun. Adrian wurde oft von den älteren Jungs wegen seiner Größe und seiner wenigen Freunde angegriffen. Obwohl Adrian das sehr belastete, versuchte er das zu verdrängen. Adrian konnte nicht mit seinen Eltern sprechen. Sein Vater verließ seine Mutter vor seiner Geburt, und er sah seine Mutter selten, weil sie drei Jobs ausübte, um die Rechnungen zu bezahlen. Als seine Mutter an Adrians 12. Geburtstag starb, verlor Adrian seine Lebensfreude. Da seine Mutter weg war, war Adrian obdachlos und zog verzweifelt durch die Straßen. Gleichzeitig suchte eine abtrünnige US-Zivilisation namens Invida nach verwundbaren Menschen, die an einem ihrer experimentellen Programme teilnehmen konnten.

Adrian war das ideale Opfer für Invidas streng geheime Militäroperation zur Schaffung von Mensch-Roboter-Hybriden, die im Weltraum arbeiten können. Invida fragte ihn, ob er sich ihnen anschließen würde, woraufhin er zustimmte und hoffte, dass er damit einen Sinn in seinem Leben finden würde. Invida brachte ihn in ein Programm mit dem Ziel, sein Gedächtnis zu löschen und eine neue Persönlichkeit zu erschaffen; dazu gehörte, dass Adrian fortwährend mit Stromschlägen gepeinigt und in große Schmerzen versetzt wurde. Ein Barcode wurde auf die Stirn tätowiert, und er wurde mit Nanorobotern angesteckt (von der Dreacon-Technologie). Diese Technologie verschaffte Adrian einen erheblichen Kraftzuwachs und machte ihn so stark wie 100 Männer. Das Militär nutzte Adrian in mehreren verdeckten Missionen, bis ein Teil seines Gedächtnisses wieder zurückkehrte. Bevor sein Verstand gelöscht wurde, beschloss Adrian, sich aus Invida zu befreien. Derzeit arbeitet er als Söldner, der ohne jegliche Zugehörigkeit für eine Organisation tätig ist.

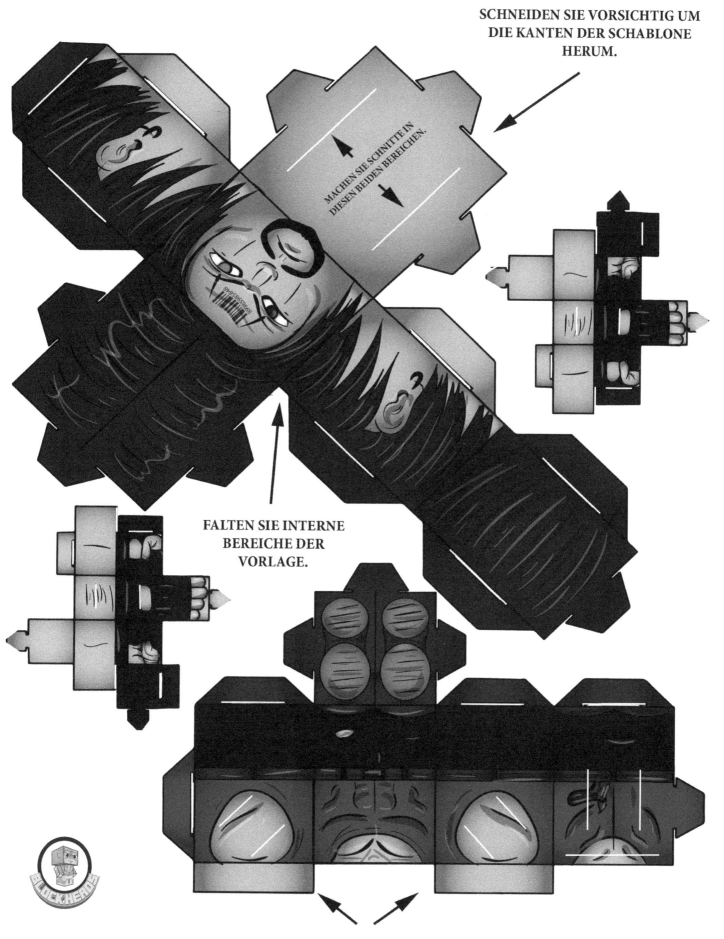

SCHNEIDEN SIE VORSICHTIG UM
DIE KANTEN DER SCHABLONE
HERUM.

MACHEN SIE SCHNITTE IN
DIESEN BEIDEN BEREICHEN.

FALTEN SIE INTERNE
BEREICHE DER
VORLAGE.

FALTEN SIE DIESE BEIDEN KLAPPEN NICHT. BENUTZEN SIE SIE,
UM DEN KÖRPER IN DEN KOPF ZU STECKEN.

Graf Croschop

Graf Croschop entstammt einem polnischen Adelsgeschlecht. 1827 zielte der verbotene Vampir Jędrzej auf Croschop und tötete seine Familie. Jędrzej machte Croschop zu einem Vampir und hielt ihn am Leben, nur weil er Croschops Vermögen und sein Eigentum unter Kontrolle haben wollte. Jędrzej hielt Croschop dann viele Jahrzehnte lang als Sklaven.

Croschop wartete, bis seine Kräfte stärker wurden, und als die Zeit reif war, überlistete er Jędrzej, damit er tagsüber einen abgedunkelten, verschlossenen Raum betrat; er sagte, ein wertvolles Geschenk wartete auf ihn da drin. Heimlich ließ er die Vorhänge vor den Fenstern herabfallen und den Raum mit Sonnenlicht füllen. Jędrzej fiel auf den Trick herein und wurde im Handumdrehen zu Asche. Croschop war frei. Mit der Zeit wurde es für Croschop schwierig, sich von menschlichem Blut zu ernähren. Er wählte seine Opfer sehr sorgfältig aus; gewöhnlich Menschen, die im Sterben lagen oder kurz davor standen zu sterben. Schließlich wurde er entdeckt, woraufhin ihm so viele Vampirjäger folgten, dass er gezwungen war, Polen zu verlassen. Er reiste durch Europa, um dann den Weg nach Amerika anzutreten. Dort lernte er den jungen Vlad kennen.

Im 21. Jahrhundert wurde Croschop in der Vampirwelt berühmt. Er entwickelte einen speziellen Sonnenschutz, der es Vampiren ermöglichte, bei Tageslicht auszugehen, sofern sie eine Sonnenbrille mit einer speziellen Beschichtung sowie sonnenfeste Kleidung aus Kevlar trugen.

Wenn er in einem Team mit'Young Vlad' ist, werden beide Fähigkeiten um +1 erhöht.

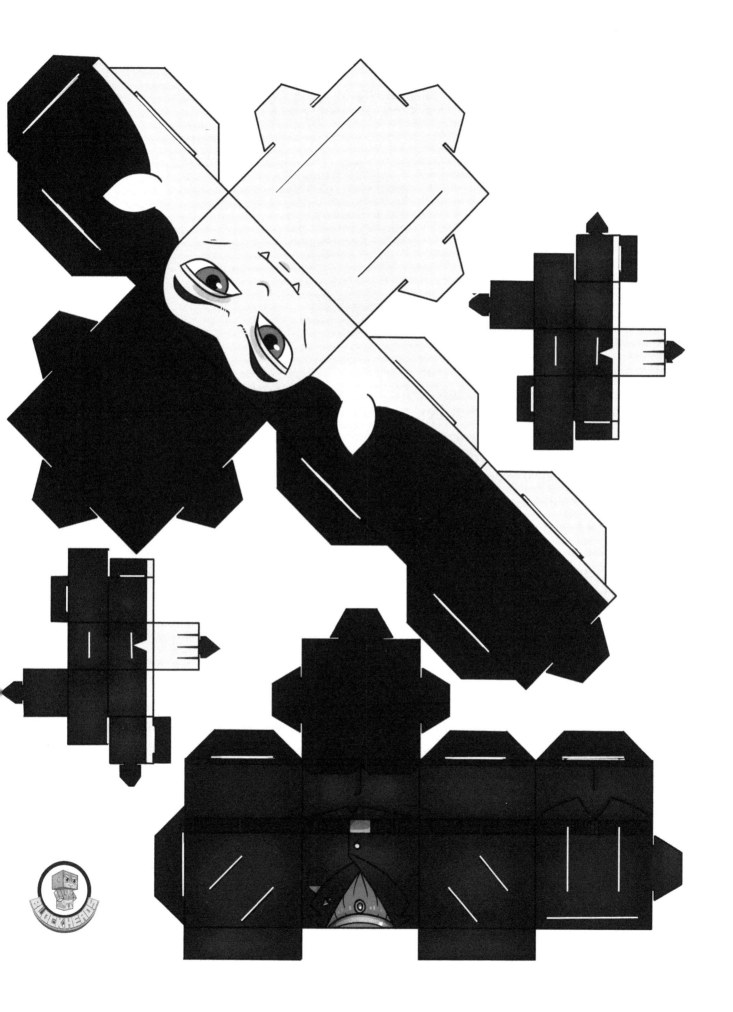

HAZMAT

Edgar wurde als Sohn einer wohlhabenden Familie bulgarischer Adliger in Lettland geboren und verfügte über die beste Ausbildung und den besten Lebensstandard. Edgar hatte Schwierigkeiten, bei seiner Familie aufzuwachsen und war oft mit dem Gedanken beschäftigt, dass er sich von anderen unterschied. Edgar, der jüngste von fünf Geschwistern, verbrachte viel Zeit allein. In der Familienbibliothek verschlang Edgar seine unzähligen Bücher. Beim Lesen der Bücher erkannte Edgar, dass er eine außergewöhnliche Fähigkeit besaß, alle Informationen, die ihm zur Verfügung standen, aufzusaugen und zu speichern. Zu seinem 15. Geburtstag hatte er alle 15.000 Bücher in der Bibliothek gelesen.

1Mit seinem umfangreichen Wissen war Edgar fasziniert von der Wissenschaft, vor allem aber von der Chemie. Im Alter von 18 Jahren wurde er vom lettischen Geheimdienst angeworben, und zwar für die Herstellung von Chemiewaffen und den Bau eines Labors. Edgar verbrachte die meiste Zeit im Labor und machte Experimente, bis langsam Chemikalien durch seine Haut in seinen Körper sickerten. Irgendwann wurde ihm klar, dass, wenn er unter Menschen war, diese ohnmächtig wurden oder an dem Gas, das er abgab, erkrankten. Sein Körper entwickelte eine solche Giftresistenz, dass er es speichern und später als giftiges Gas abgeben konnte. Um mit anderen zusammen zu sein, ohne sie zu vergiften, musste Edgar, vom lettischen Geheimdienst als HAZMAT bezeichnet, einen speziellen Filtrationsanzug entwickeln, um mit anderen zusammen sein zu können, ohne ihnen zu schaden.

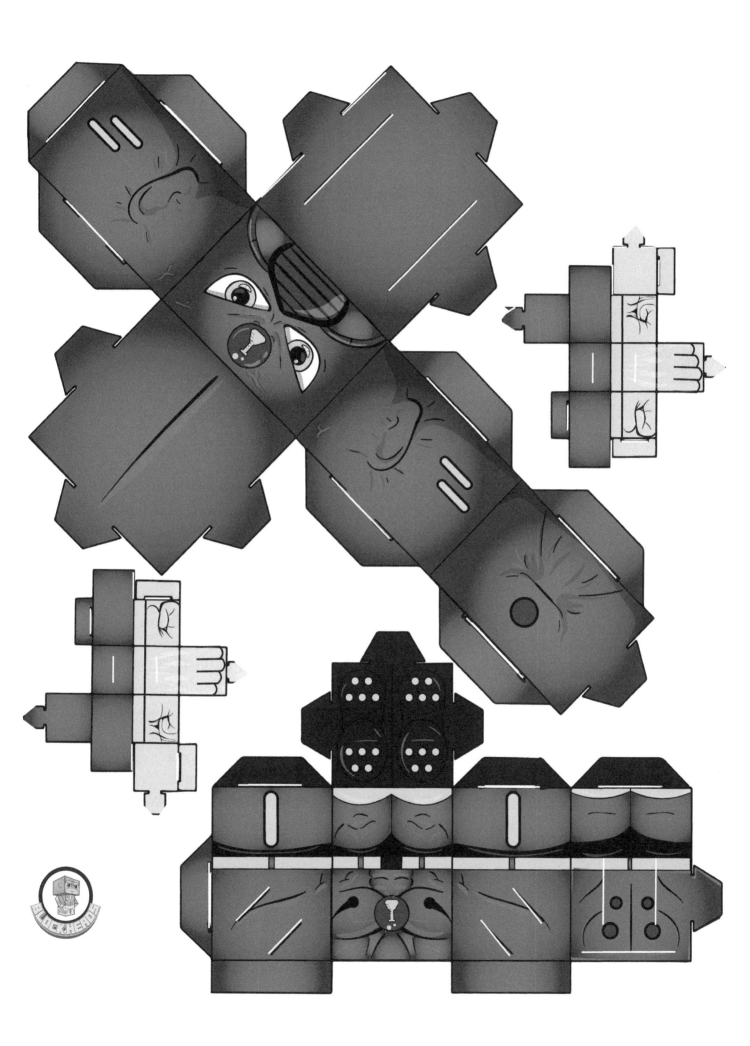

BLOCKHEADS

Luther Kensington

Luther Kensington wurde als Sohn einer Familie renommierter Magier geboren. Schon in jungen Jahren war Luther von der Arbeit seiner Familie fasziniert und wünschte sich nichts sehnlicher, als sie fortzusetzen. Sein Großvater sagte ihm, dass er, um als Magier völlig angenommen zu werden, in einem Bereich der beste der Welt sein müsse. Auch sein Großvater vertrat die Ansicht, dass Tricks leicht zu erlernen seien, dass aber echte Magie aus viel Forschung und harter Arbeit entspringe. Luther beschloss, dass er sich in der Kunst der Irreführung hervortun wollte. Er fing an, sich dafür zu begeistern, indem er es so aussehen ließ, als ob er sich in einem Bereich befände, während er in Wirklichkeit irgendwo ganz anders war. Er verstand voll und ganz, dass es eine Kunst war, den Menschen zu helfen, zu verstehen, was sie sehen wollten.

Im Wettstreit mit anderen Magiern suchte Luther ständig nach einer Technologie, die ihm einen Vorteil verschaffen würde. Ihm ging es darum, eine Technologie zu finden, die wie eine Magie erscheinen mag, aber in Wirklichkeit auf wissenschaftlichen Erkenntnissen basiert. Luther las, dass Albert Einstein und der berühmte Atomforscher Max Born einige ihrer wesentlichen Ideen aus alten hinduistischen Texten, den sogenannten Veden, gewonnen haben. Also beschloss er, sich drei ganze Jahre seines Lebens der Entzifferung zu widmen.

Luther Kensington

Mit Hilfe von fortschrittlichen Supercomputern, die von Professor Zvesta zu einem hohen Preis zur Verfügung gestellt wurden, analysierte Luther die Veden eingehend. Eines Morgens schließlich fand eine der Maschinen etwas Spannendes. Es wurde suggeriert, dass sich unter der großen Sphinx in Ägypten eine versteckte Kammer befand, die Technologie aus einer alten Zivilisation enthielt.

Luther wusste, dass die ägyptischen Machthaber ihn dieses Gebiet nie erkunden lassen würden. So löste er mit Irreführung einen Aufstand in Ägypten aus, damit die Behörden sich mit dem Aufstand beschäftigten, während er sich an seinen Plan machte. Mit einem lasergestützten Tunnelvortriebsgerät 1 km von der Großen Sphinx entfernt tauchten Luther und sein Team unter den Sand, bis sie die versteckte Kammer fanden. Was sie entdeckten, war wirklich erstaunlich. Der größte Teil der Technologie, mit Ausnahme eines Objekts, konnte Luther weder verstehen noch anwenden. Es war ein Stab mit einem leuchtend grünen und blauen Emblem. Nach dem Einschalten absorbierte es elektrische Energie aus der Nähe. Es konnte Stromausfälle verursachen und einen Kernreaktor abschalten. Einmal vollständig aufgeladen, könnte es die Person, die es hält, überall auf der Welt durch winzige Würmchen teleportieren. Das einzige Problem, das Luther hatte, war, dass er nicht in der Lage war, es vollständig zu beherrschen. Er war sich sicher, dass es ein anderes Gerät gab, das ihm helfen würde, richtig zu funktionieren. Seitdem ist Luther auf der Suche nach diesem Gerät.

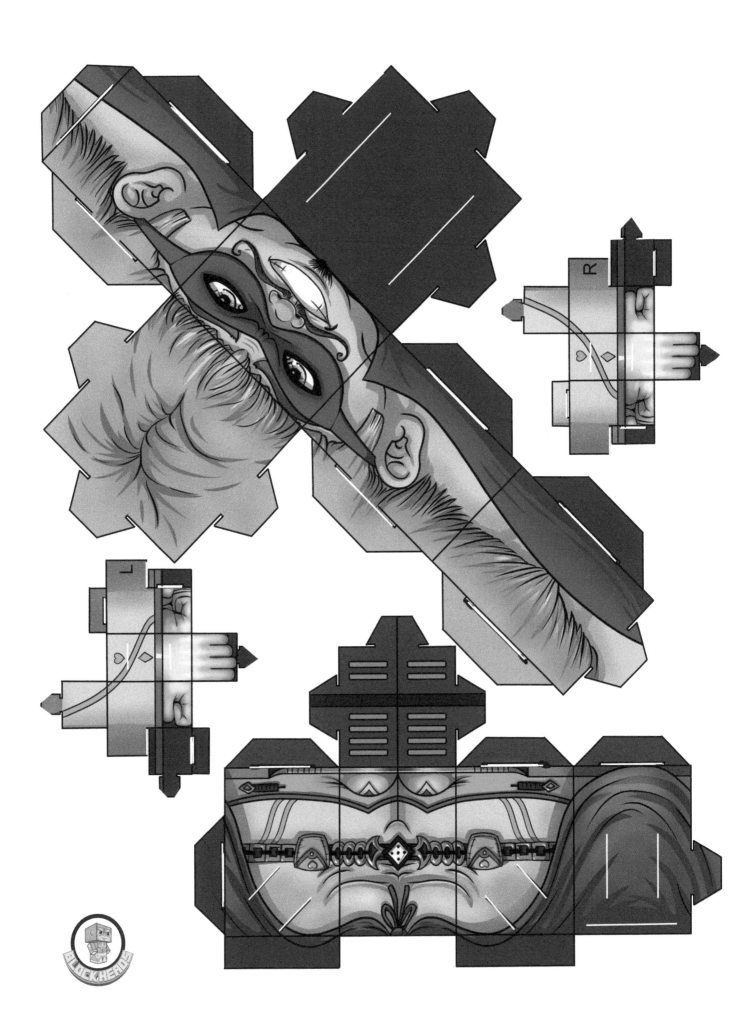

Die Kaskade

Der Kaskade mag die Schönheit vieler anderer Schwebeboards fehlen, aber für die mehr als 10.000 Jahre alte Technologie ist sie gut unterwegs. Die Kaskade, die von einer früheren hoch entwickelten Menschenrasse entwickelt wurde (nachdem sie mit der Defentak-Technologie ausgestattet wurde), eignet sich am besten für die Verteidigung. Sie bietet Platz, um bei Bedarf Kanonen hinzuzufügen, und kann auch als starke Waffe eingesetzt werden.

Der Motor der Kaskade wird mit einem Quantengenerator des Elements 115 angetrieben, der diesem Board eine Antischwerkraftwirkung verleiht. Der Vorteil für den Anwender besteht darin, dass er bei der Fahrt keine Reibung erfährt und sich fast im Handumdrehen von einem Ort zum anderen bewegen kann.

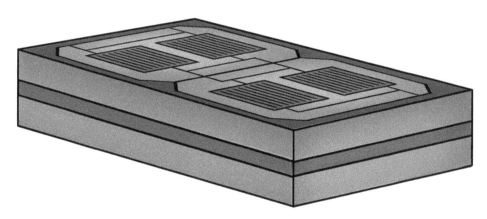

Optionale Extras

Basis

Solar-Laser
2 Millionen Dollar

Fortgeschritten

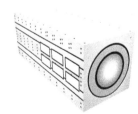

Schall-Hyperkanone
22,5 Millionen Dollar

Super Fortgeschritten

Quantendisruptor
400 Millionen Dollar

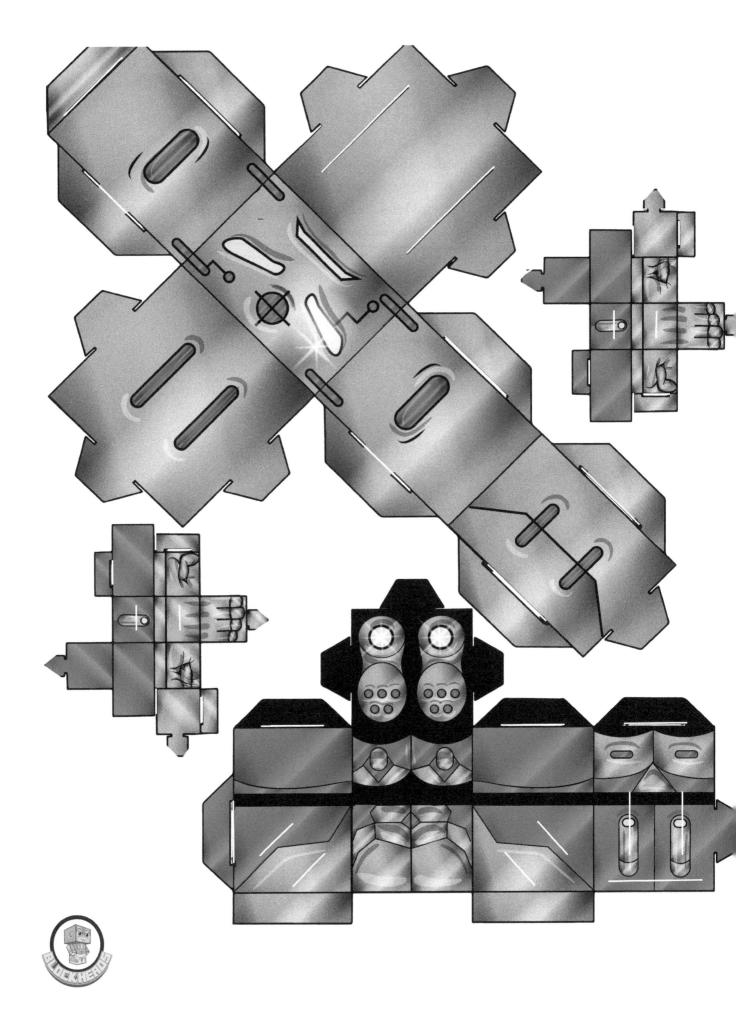

M4RV1N

M4RV1N war ein einzigartiger Bodyguard-Roboter, der von einem Team von Wissenschaftlern auf dem Planeten M4RV in ihrem Jahr 41.075 (Erdjahr 2112) konstruiert wurde. Er war darauf programmiert, äußerste Loyalität zu erfahren, sofort auf Krisen zu reagieren und mit Infrarotwaffen Gegner rückwärts anzutreiben. Die eingebaute Quanten-Supercomputerleistung des M4RV1N wurde mit der kombinierten Rechenleistung der Erde im Erdenjahr 2023 gemessen und gefunden.

In den Jahren vor der Gründung von M4RV1N wurden mehrere Morde an wichtigen Anführern des Planeten von einer unabhängigen Armee, den so genannten "Inhibitoren", verübt. Die Inhibitoren waren gegen alle Formen des Fortschritts, insbesondere gegen die Technologie. Sie wollten den Planeten wieder in den nicht-technologischen Zustand versetzen, wie er 300 Jahre zuvor war. M4RV1N wird mit einer extrem seltenen Moscovium-Solarbatterie (Element 115) betrieben und wurde speziell zum Schutz der königlichen Familie auf dem Planeten M4RV entwickelt. Bereits zwei Jahre nach seiner Gründung war ein regelrechter Bürgerkrieg zwischen der herrschenden Gruppe des Planeten und den Inhibitoren ausgebrochen. Verzweifelte Wissenschaftler auf M4RV beschlossen, ihre ungetestete Zeitreise-Technologie zu nutzen, um M4RV1N in die Zeit zurückzubringen, um der Bedrohung durch den Inhibitor zu begegnen. Leider führte eine Fehlfunktion der Zeitmaschine (zusammen mit einem unentdeckten Wurmloch) dazu, dass M4RV1N in die Zeit zurück zur Erde gebracht wurde. Im Jahr 2001 wurde er von einem trügerischen Wissenschaftler namens Professor Zvezda entdeckt, der den Loyalitätschip von M4RV1N neu programmierte, um zu seinen Diensten zu arbeiten.

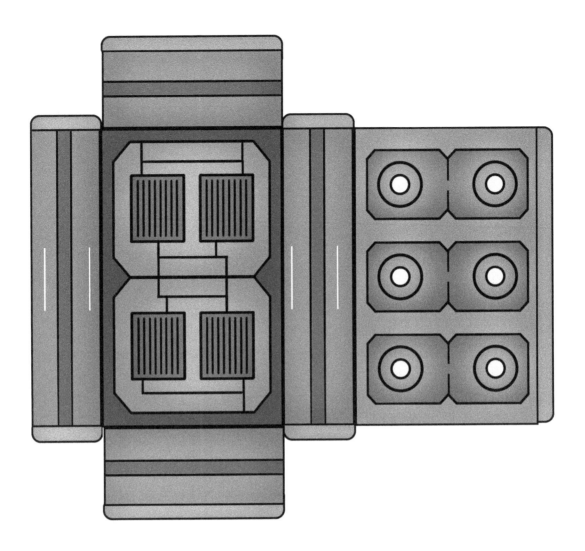

DIE KASKADE

GESCHWINDIGKEIT +23

BENUTZE DIESE KARTE, UM DIE GESCHWINDIGKEIT DEINES CHARAKTERS UM 23 ZU ERHÖHEN

Password = Block7665

Junger Vlad

Brad Jansen war zur Zeit des amerikanischen Bürgerkriegs 1861 ein zurückhaltender Teenager. Mitten in der Nacht verließ er das Haus seiner Eltern, als er beschloss, davonzulaufen, ehe ihm die Entwürfe der Konföderation zur Aufnahme in die Südarmee zugestellt wurden. Gleichzeitig suchte ein Vampir, Graf Kroschop, nach einem weiteren Opfer. Angezogen von einer großen Menge Blut im Kriegsgebiet, war ihm klar, dass der Chaos-Krieg es ihm ermöglichen würde, sein Geschäft unbemerkt zu betreiben. Der Graf hatte bereits zwei Opfer getötet, als er Brad in seiner Nähe sah.

Graf Kroschop stürzte sich schnell auf Brad, als er vom Baum herabfiel. Doch bevor er den dritten Treffer des Tages machte, sah er Brads Gesicht. Graf Kroschop war schockiert. Der junge Mann war das Ebenbild seines Sohnes, den der Bandit Jędrzej über 30 Jahre zuvor getötet hatte. Er wusste sofort, dass er nicht in der Lage sein würde, ihn zu töten.

Der Graf bot Brad einen Kompromiss an. Er würde Brad nicht töten, und er würde ihn unsterblich machen, wenn Brad zustimmen würde, sein Gefährte zu werden. Brad nahm das Angebot des Grafen ohne zu zögern an. Der Graf biss ihn in den Hals, und am nächsten Tag wurde Brad klar, dass er sich langsam in einen Vampir verwandelte. Der Graf nahm Brad als Schüler auf und nannte ihn offiziell Vladimir Kroschop und formlos "Young Vlad". Mit den Jahren blieb Young Vlad "für immer jung" und entwickelte eine Weisheit, die aus über 160 Jahren Erfahrung entstand.

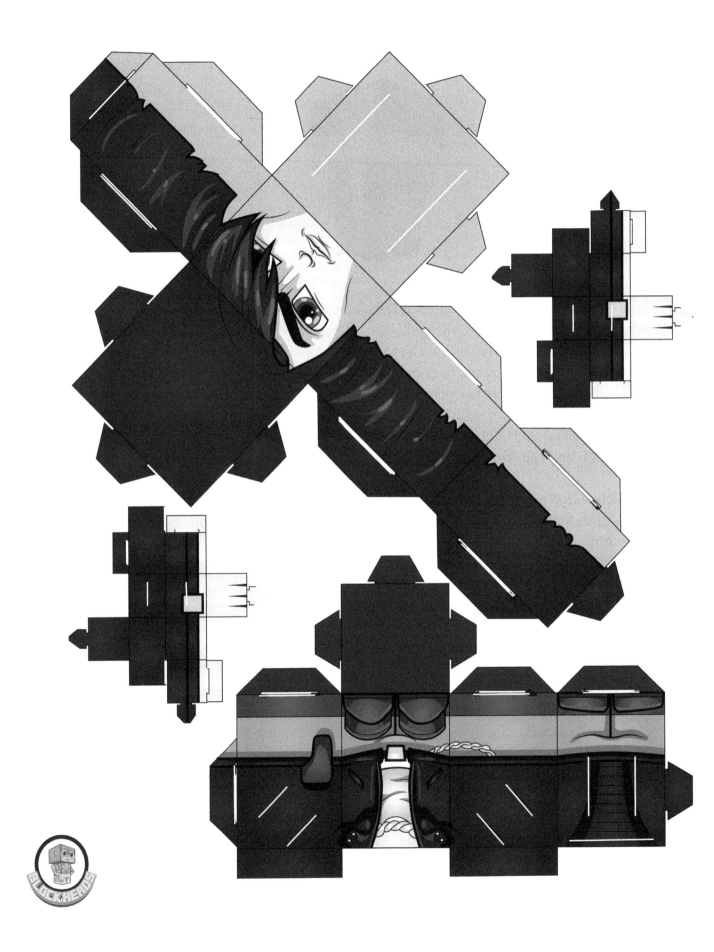

Hoshiko

Beim Betrachten eines Schreins in einer abgelegenen japanischen Stadt namens Hida-Takayama entdeckten vier junge amerikanische Reisende ein altes Buch, das hinter einer verborgenen Wand versteckt war. Neugierig nahmen die Reisenden das Buch mit in ihre Kabine, um es weiter zu untersuchen. Ohne Kenntnis der Reisenden war das Buch 400 Jahre zuvor von einem alten japanischen Magier mit dem Zauber "Ushi no toki mairi" verflucht worden. Worte auf dem Umschlag warnten jeden, der das Buch las, davor, dass ein Gefangener freigesetzt würde; ein Gefangener, der seit Jahrhunderten endlos gefoltert worden war.

In der Überzeugung, dass die Warnung nur ein Mythos war, lachte einer der Reisenden, als er laut aus dem Buch las, und seine Gefährten feuerten ihn an. Zum Erstaunen der Reisenden leuchtete aus dem Buch plötzlich ein helles Licht. Erschrocken warfen die jungen Reisenden das Schriftstück in ein nahegelegenes Kohlenfeuer. Dabei heulte die Lebenskraft innerhalb des Buches vor Schmerz, als sie durch den Fluch gezwungen wurde, alles in ihrer Nähe aufzusaugen, bis sie zu einem Körper geworden war. Das Einzige, was in der Nähe war, war das Feuer. Hoshiko war wieder auf der Erde, doch nun bestand er aus Kohle.

Hoshiko litt unter brennenden Schmerzen. Unfähig, sich zu kontrollieren, kamen Feuerstöße aus seinen Augen und Händen, und alles, was in seiner Nähe war, verbrannte. Die vier Reisenden waren die ersten, die zu Asche verbrannt wurden, und danach ein Großteil der Stadt Hida-Takayama. Alle Dinge, denen Hoshiko sich näherte, verbrannten. Die Leute haben Angst vor ihm und rannten davon, als sie ihn sahen.

Als Hoshiko sich beruhigte, bemerkte er, dass das Feuer in ihm weniger intensiv zu brennen begann, und seine Haut kühlte ab. Er sah, dass die Dinge in seiner Nähe nicht mehr brannten. Eines Tages war seine Haut genug abgekühlt, so dass ein schöner Schmetterling auf seinem Arm landen konnte. Er beobachtete den Schmetterling stundenlang und folgte ihm durch den Wald, bis er das Gefühl hatte, dass Säuretropfen auf ihn spritzten; es regnete. In der Verzweiflung, dem Regen zu entkommen, bemerkte Hoshiko eine Kabine direkt vor ihm, in der er Unterschlupf finden konnte. Er ging hinein.

Bald hörte Hoshiko ein Rascheln aus einem anderen Raum: "Wer ist da? sagte die Stimme eines Mannes. Der Mann kam Hoshiko sehr nahe, konnte ihn aber nicht sehen. Der Mann war ein blinder, buddhistischer Mönch, namens Kenta. Hoshiko versuchte zu sprechen, aber alles, was aus seinem Mund kam, war das Geräusch eines knisternden Feuers. Kenta fühlte Hoshikos Gesicht und spürte das heiße Innere. Du weißt nicht, warum du hier bist, oder?" sagte Kenta 'Aber warum du hier bist, ist kein Zufall.... Das Universum hat dich aus einem bestimmten Grund zu mir geschickt. Ich weiß noch nicht, was es ist, aber ich werde dir helfen.

Daraufhin blieb Hoshiko mehrere Jahre bei dem älteren Mann. Er lernte zu sprechen, und obwohl seine Worte wie ein knisterndes Feuer klangen, beherrschte er die Sprache und wurde verstanden. Kenta lehrte Hoshiko viele Lektionen. Hoshiko erfuhr, dass er das Brennen in sich selbst durch die Kraft der Meditation bewältigen konnte und dass er universelle Kräfte nutzen konnte, um zu fliehen. Er entdeckte, dass er keine Nahrung brauchte, aber dass es wichtig war, sich mindestens einmal pro Woche ins Feuer zu begeben, um sich zu regenerieren. Hoshiko lernte jeden Tag etwas Neues, bis Kenta sich eines Tages an ihn wandte und sagte: "Ich werde meine körperliche Form sehr bald verlassen. ... und ich werde sterben. Ich möchte, dass du diesen Worten sehr aufmerksam zuhörst: "Andere zu kennen ist Intelligenz; sich selbst zu kennen ist wahre Weisheit. Andere zu beherrschen ist Stärke; sich selbst zu beherrschen ist wahre Kraft. Dadurch und durch die Hilfe für andere wirst du in der Lage sein, deine Seele zu reinigen, und hoffentlich werden wir uns in einem anderen Leben wiedersehen.

Ich werde bald sterben, und ich möchte, dass du diesen Worten aufmerksam zuhörst. .... "Andere zu kennen ist Intelligenz; sich selbst zu kennen ist wahre Weisheit. Andere zu beherrschen ist Stärke; sich selbst zu beherrschen ist wahre Kraft. ... Wenn du diese Worte verstehst, wirst du in der Lage sein, deine Seele zu reinigen, und hoffentlich werden wir uns in einem anderen Leben wiedersehen.

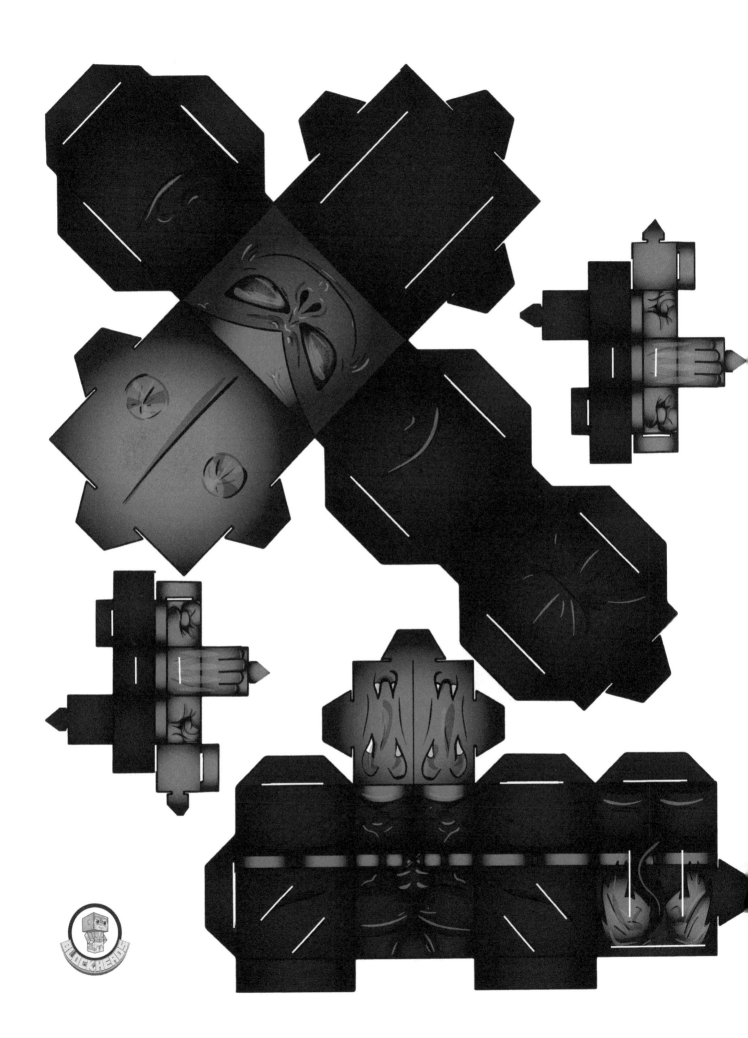

Hinweisblatt zur Herstellung von Blockköpfen

Wir empfehlen die Verwendung von dickerem Papier und den Ausdruck deiner eigenen 3D-Blockköpfe mit den angegebenen Website-Details und dem Passwort. Obwohl das Papier in diesem Buch für die Herstellung von 3D-Blockköpfen verwendet werden kann, ist das Papier ziemlich dünn, daher empfehlen wir Ihnen, die Figuren mit Klebstoff zu verkleben.

Falls du beim Ausschneiden eines Blockkopfes einen Fehler machst, kann er über die Website-Details auf Seite 2 dieses Buches als PDF nachgedruckt werden. Ebenso, wenn deine 3D-Modelle versehentlich kaputt gehen, kannst du sie wiederherstellen, indem du sie von der bereitgestellten Website herunterlädst. (Es ist daher wichtig, die Adresse und das Passwort der Website an einem sicheren Ort aufzubewahren, nur für den Fall, dass du es später noch brauchst).

Ihr müsst die Kanten jeder Schablone mit einer Schere oder einem Bastelmesser rundum schneiden. Ein Bastelmesser ist oft praktischer, um an schwer zugänglichen Stellen zu schneiden. Ein Bastelmesser ist notwendig, um Schlitze für das Einsetzen der Klappen zu machen. Außerdem wurden Schlitze für das Einsetzen von Mänteln, Waffen, Jet-Packs und anderen Geräten zur Verbesserung der Fähigkeiten gelassen. Es ist oft einfacher, diese Schnitte in der Anfangsphase der Herstellung jedes Modells vorzunehmen, anstatt diese später zu überlassen. Möglicherweise müsst ihr einen Erwachsenen bitten, euch dabei zu helfen.

Obwohl jeder Charakter ohne Verwendung von Klebstoff erstellt werden kann, kann mit dem Einsatz von Papierkleber ein verbessertes Gesamtbild erreicht werden.

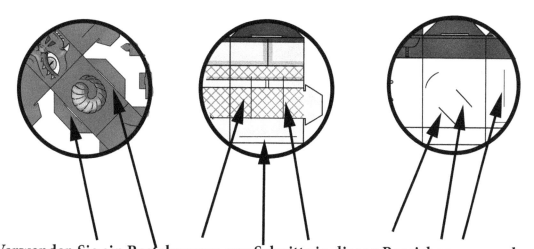

Verwenden Sie ein Bastelmesser, um Schnitte in diesen Bereichen vorzunehmen.

Obwohl jeder Charakter ohne Verwendung von Klebstoff erstellt werden kann, kann manchmal ein verbessertes Gesamtbild durch den Einsatz von Papierkleber in einigen Bereichen erreicht werden.

Werbung

Jeder noch so gute Held und jede Heldin, die ihr Geld wert ist, braucht ein Schwebeboard! Und nicht jedes alte Schwebeboard, sondern eines mit 1,2 Gigawatt Energie, das in 2,1 Sekunden 0-60 Meilen pro Stunde schafft und über Wasser, Sand und Eis schweben kann! Wenn Sie ein Held zur Rettung der Menschheit sind, brauchen Sie Dr. Craven, um die besten Boards zu entwerfen, die es gibt. Tief unter dem Südpol, in den Räumlichkeiten seines Labors, kreiert Dr. Craven nicht nur Superheldenanzüge, Gadgets und Brillen, sondern auch Schwebeboards!

Dr. Cravens neuestes Modell, die Lightning 5400, befindet sich bereits in Phase vier, d.h. es ist einsatzbereit! Genau das ist es, im Moment sind unsere Helden auf der Suche nach einem Leckerbissen mit diesem neuesten Modell von Dr. Cravens verrücktem, schnellerem als je zuvor Schwebeboard, das Sie doppelt sehen lassen wird! Sie werden wünschen, Sie hätten kein Abendessen gegessen, bevor Sie eine Fahrt machen!

BLOCK HEADS

BAR CODE

GESCHWINDIGKEIT	44
FERTIGKEITEN	6
ANGRIFF	20
VERTEIDIGUNG	21

COUNT CROSSCHOP

Wenn er in einem Team mit 'Young Vlad' ist, werden beide Fähigkeiten um +1 erhöht.

GESCHWINDIGKEIT	51
FERTIGKEITEN	7
ANGRIFF	21
VERTEIDIGUNG	20

HOSHIKO

GESCHWINDIGKEIT	58
FERTIGKEITEN	8
ANGRIFF	22
VERTEIDIGUNG	17

HAZMAT

GESCHWINDIGKEIT	39
FERTIGKEITEN	8
ANGRIFF	22
VERTEIDIGUNG	22

GESUCHT - TOT ODER LEBENDIG

SYTHE

DREACON HAT 15 GRAMM ELEMENT 115 ANGEBOTEN, WENN DER KÖRPER DES DEFENTAK CYBORG SYTHE GEFUNDEN WERDEN KANN. DER KAUF VON 15 GRAMM ELEMENT 115 AUF DER ERDE WÜRDE ETWA 250 MILLIARDEN US-DOLLAR KOSTEN.

Sythe ist die Nummer 2 auf der Dreacon Most Wanted List. Wenn Sie seine Vorlage in einem Blockkopf-Buch versteckt finden, senden Sie bitte eine E-Mail an info@blockeds.com mit Kaufbeleg und Sie erhalten Details darüber, wie Sie 100 Blockkopf-Charaktere kostenlos herunterladen können.

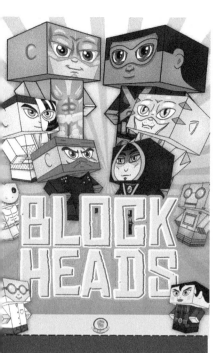

LUTHER KENSINGTON

GESCHWINDIGKEIT	51
FERTIGKEITEN	8
ANGRIFF	13
VERTEIDIGUNG	24

JUNGER VLAD

GESCHWINDIGKEIT	50
FERTIGKEITEN	6
ANGRIFF	21
VERTEIDIGUNG	19

MARVIN

GESCHWINDIGKEIT	46
FERTIGKEITEN	6
ANGRIFF	14
VERTEIDIGUNG	25

Lightning Source UK Ltd.
Milton Keynes UK
UKHW050959290919
350464UK00012B/40/P